Bea

D1198098

HOTEL BRISTOL
NEW YORK, N.Y.

Nous remercions le Conseil des arts du Canada de l'aide accordée à notre programme de publication, ainsi que la SODEC pour son soutien à l'édition.

© LEMÉAC, 1999
ISBN 2-7609-2041-0

© ACTES SUD, 1999
pour la France, la Belgique et la Suisse
ISBN 2-7427-2583-0

Illustration de couverture :
Edward Hopper, *Maison au crépuscule* (détail), 1935, D.R.

MICHEL TREMBLAY

HOTEL BRISTOL NEW YORK, N.Y.

roman

LEMÉAC / ACTES SUD

*Tout personnage porte avec lui
davantage que son apparence et ses actes.
Il porte des origines mythiques,
des filiations et des parentés,
un réseau d'influences, un climat
et, même, une lumière.*

MICHEL DEL CASTILLO
La Femme en soi

*Life is what happens
while we're making other plans.*

OSCAR WILDE

Merci à Michel Poirier
qui a trouvé le titre de ce roman

New York, le 11 mars 1998

Mon cher Dominique,

C'est tout de même curieux, une lettre. Toi qui viens de recevoir celle-ci et qui me lis, tu sais déjà combien de pages elle contient, alors que moi qui la commence, je l'ignore. Sera-t-elle longue ou courte, passionnante ou ennuyeuse, pleine à ras bord de ce que j'ai l'intention d'y mettre ou vaseuse et circonlocutoire – je sais, ce mot n'existe pas, je viens de l'inventer parce que j'en avais besoin – comme il m'arrive souvent de l'être moi-même devant les choses à dire et que je n'arrive pas à formuler ? Quand je la mettrai à la poste, dûment adressée et affranchie, aurai-je réussi à y exprimer le désarroi que je ressens depuis quelque temps et que je voudrais te confier, ou est-ce que je m'en voudrai, encore une fois, d'avoir été incapable d'énoncer clairement le fond de ma pensée, à cause de cette pudeur maudite et de cette maudite timidité qui me poursuivent depuis toujours ? Et que tu connais si bien ?

Toi, tu as d'abord tâté l'enveloppe, tu l'as soupesée après en avoir vérifié la provenance en te disant : « Qu'est-ce qu'il lui prend de m'écrire, lui, il n'écrit jamais à personne... Et de New York, en plus ! » Je t'imagine très bien. Le cliché du parfait Parisien, version québécoise, évidemment, ce qui implique une légère déformation, une exagération un peu ridicule, une conscience de trop vouloir avoir l'air ce qu'on veut être, dont les vrais habitants de Paris sont dépourvus, un stéréotype reconnaissable parce qu'aucun Parisien n'est aussi parisien : c'est le matin, le nez réfugié dans ton cache-col tu viens d'aller acheter ta ficelle chez le boulanger au coin de la rue de la Huchette et de la rue de la Harpe pendant que ton café percole – deux néologismes en deux paragraphes, le psychanalyste en toi doit frémir d'excitation ! –, tu tiens sous le bras tous les journaux du matin, de l'extrême droite à l'extrême gauche, tu as déjà commencé à comparer la une du *Figaro* et celle de *Libé*, analysant ce que tu appelles le mentir-vrai des uns et des autres, pour paraphraser ton idole Jean Cocteau, les titres ronflants qui contiennent plus que les articles qui y sont rattachés, les deux versions des mêmes faits, les deux discours opposés sur les mêmes sujets, aussi hâbleurs l'un que l'autre, aussi, comme tu me l'avais si bien dit un jour, ratoureux et manipulateurs. (Comptes-tu toujours le nombre de fois qu'on peut trouver les mots France et Français à la une des journaux parisiens chaque matin, comme tu le faisais lors de notre premier voyage en Europe, il y a presque trente ans ?) Après avoir salué ta concierge portugaise, tu as ouvert ta boîte aux lettres, tu as trouvé cette enveloppe de New York, tu as lu mon nom derrière.

Et, c'est plus fort que toi, tu as déjà commencé à spéculer, à bâtir une ou des théories, à *analyser* avant même de l'avoir ouverte ce que cette lettre peut contenir.

Mais, pour une fois, je suis convaincu que je vais te surprendre. Non, je ne t'ai pas écrit pour te parler de la version anglaise de *Art* de Yasmina Reza à Broadway ou de la Sally Bowles de Natasha Richardson dans la reprise de *Cabaret*. Ni des nouvelles acquisitions – toutes laides – du symposium dans les jardins du MOMA.

Parce que je suis venu à New York *me réfugier* !

As-tu froncé les sourcils ? Es-tu allé vérifier quelques pages plus loin ce dont il s'agissait ? S'il te plaît, lis cette lettre attentivement et au complet, sans en passer des bouts ; lis-la le plus naïvement possible, attends de l'avoir terminée avant de juger, de bâtir des théories ou de t'impatienter de mon bavardage inutile. Tu me connais, j'ai *toujours* besoin de tourner en rond avant d'atteindre le cœur du sujet. Et aujourd'hui, c'est plus l'ami de toujours que je veux consulter que le réputé psychanalyste québécois en sabbatique à Paris.

Sais-tu que j'ai failli aller te rejoindre dans ton si joli appartement du quai Saint-Michel, me jeter dans tes bras en te disant : « Docteur, je deviens fou, venez à mon aide » ? Mais tu aurais ri, tu aurais refusé de me prendre au sérieux – tu ne veux jamais jouer au docteur avec moi – et mon voyage aurait été inutile. Ici, cependant, dans l'anonymat de New York, enfermé dans ma chambre du Bristol que je fréquente depuis si longtemps, à travers cette lettre que je commence en tremblant, j'ai l'impression d'avoir plus de chances d'attirer ton attention, de piquer ta curiosité et de déclencher... Déclencher quoi ? Ta sympathie ? J'en jouis depuis trente-cinq ans. Ta compréhension ? *Ditto*, comme se plaisent tant à dire les Américains. Une certaine forme de sérieuse… analyse (voilà, le mot est lâché) qui me permettrait de passer à travers cette période de ma vie qui m'érode et me tue à petit feu ? Peut-être bien. Ne crains rien, je ne te demande pas la permission d'aller m'étendre devant toi sur un divan pendant des années pour te livrer mon sur-moi ni mon *self*, mais seulement de lire cette lettre jusqu'au bout et de me dire en toute simplicité ce que tu penses de mon problème.

Parce que, tu dois bien t'en douter, problème il y a.

Et même sérieux.

Voici donc le contexte. Patience, tout doit venir en son temps.

Justement, mon attention vient d'être attirée par une sirène d'ambulance, dans la 47e rue.

Il y aura donc, tu t'en doutes, nouvelle digression.

On croit s'y habituer, ces sons stridents – police, ambulances, pompiers – tissent une toile de fond sonore constante dans la vie new-yorkaise, et il peut se passer trois ou quatre heures d'affilée sans qu'on y prenne garde, surtout le jour parce qu'ils sont si nombreux. Puis, tout d'un coup, sans qu'on sache très bien pourquoi, on les entend, ils envahissent tout, nous empêchent de dormir ou de nous concentrer ou même, ça m'est déjà arrivé, de continuer une simple promenade. C'est ce qui vient de se produire. J'allais commencer à brosser le tableau touchant de mes problèmes et déconvenues, en choisissant bien mes mots pour que tu ne me trouves pas trop ridicule, quand une ambulance s'est arrêtée devant l'hôtel. Hurlement de sirène, bruits de freins, cris d'ambulanciers qui disent aux piétons de s'éloigner comme si la peste venait de se jeter sur Thèbes endormie. J'ai pensé qu'un client de l'hôtel était malade. Je me suis levé, j'ai collé le front à la fenêtre pas très propre (même le chic Bristol ne peut pas empêcher la pluie de New York d'être sale).

Juste en face, devant l'entrée des artistes du théâtre où on joue *Les Misérables* depuis près de dix ans, un sans-abri gisait au milieu de cinq ou six sacs à poubelle, ses seuls biens, je suppose.

Pas d'attroupement, trop anecdotique.

Les passants, moins hystériques que les ambulanciers, contournaient la civière en y jetant à peine un coup d'œil, plus par impatience que par curiosité, d'ailleurs. Les brancardiers portaient des masques en toile blanche. La peste encore ou, pire, la pauvreté. De ma fenêtre – je suis au huitième –, on aurait dit qu'ils allaient l'opérer sur place, puis le laisser là, au milieu du trottoir, avec sa cicatrice au ventre ou à la gorge, pour épargner quelques précieux *green American dollars*.

En revenant m'installer au bureau qui occupe le coin de ma chambre, j'ai tout relu ce qui précède. Ensuite, je me suis regardé dans le miroir qui doit servir de *vanity* aux clients habituels de l'hôtel, mais que j'évite consciencieusement depuis mon arrivée ici. Ironie du sort : j'évite les miroirs depuis des semaines et j'écris cette lettre devant une ridicule imitation de glace vénitienne que je n'ai pas le courage de couvrir d'un drap ou d'une chemise. En tout cas, j'y ai retrouvé l'objet de mon ressentiment – pas moi, ce serait trop facile, mais cette tare que j'ai mis cinquante-cinq ans à découvrir en moi et qui, depuis, me gâche l'existence.

Voilà, la digression est terminée, mais je ne sais plus où j'en étais.

Oui. Bon. Le contexte.

Est-ce que toutes les obsessions commencent de la même façon ? Voyons un peu la mienne, tu me diras ensuite ce qu'il en est.

Que je te raconte comment tout ça a commencé.

Je sortais du cinéma – un film de science-fiction, peux-tu croire que je m'y laisse encore prendre ? – et je déambulais tranquillement devant les magasins de la rue Sainte-Catherine. Il faisait plutôt beau, Sigourney Weaver venait de détruire son énième *Alien* (savais-tu qu'elle est elle-même devenue une extraterrestre, au fil des quatre films, qu'elle a même fini par e*nfanter* une énorme créature mi-humaine, mi-quelque chose de gluant qui n'arrivait pas à prononcer le mot maman ?), je crois même que je chantonnais dans le pâle soleil d'hiver. Juste pour te dire à quel point je ne m'attendais pas à ce qui allait se produire d'une seconde à l'autre.

Tu sais, les maudites vitrines à angle dans lesquelles il nous arrive d'apercevoir notre reflet sans que nous y soyons préparés, nous donnant ainsi une vision de nous-mêmes plus réaliste que lorsqu'on se retient le ventre, ou qu'on rentre les joues, ces miroirs à la diagonale cruellement tendus pour surprendre notre inconscient par des brutes épaisses qui vendent des chaussures ou des sadiques qui veulent nous convaincre de commencer à faire de l'exercice ? Tu vois ce que je veux dire, n'est-ce pas, Paris en est plein. Je passais donc devant une de ces monstruosités, nonchalant, insouciant, et, le temps d'un clin d'œil, j'ai entrevu mon reflet, mais, tu me vois venir, pas celui que je voulais voir. Je me suis vu

tel que je suis, tel que les autres m
voient, en fait, tel que tu me connais,
toi, probablement ; j'ai surpris une image
de moi que moi je ne connais pas parce
que lorsqu'on se regarde dans un miroir, *on se prépare,* une image à laquelle,
cependant, et c'est ça qui me choque le
plus, tous les autres sont habitués !

Ne va pas penser que tout ça n'est
qu'une histoire de vanité, que je me suis
trouvé gros ou vieillissant ou plus-
ce-que-j'ai-déjà-été ! Je ne prendrais pas
la peine de t'écrire cette lettre, puisque
je sais déjà que je suis trop gros, que
je vieillis et que je ne suis « plus ce que
j'ai déjà été » ! Même quand je me retiens
le ventre et les joues, je m'en rends
compte, je ne suis pas idiot !

Ce que j'ai vu... C'était impalpable,
volatil ; une image surprise dans une vitrine, ça ne se saisit pas avec un appa-
reil photo, ça ne se fige pas dans l'espace
et le temps, c'est fugace et ça ne revient
pas, ça reste au coin de l'œil et on ne
peut pas être tout à fait sûr qu'on l'a
vraiment aperçue... Écoute... Assez de
tergiversations et de prétextes à tourner
autour du pot, voici l'affaire telle quelle :
ce que j'ai entrevu dans la vitrine, le
temps d'une fraction de seconde, c'est
mon frère Richard, que je ne peux pas
supporter depuis ma tendre enfance, tu

ui représente pour moi de-
s tout ce que je déteste de la
ue mon père !

Je sais très bien que je leur ressemble à tous les trois, mes deux frères et mon père, on m'en a toujours fait la remarque et j'ai toujours avalé la pilule sans rien dire parce qu'on ne peut malheureusement rien contre l'héritage génétique, mais je te jure que, jusqu'à cette seconde maudite entre toutes, j'ignorais que je leur ressemblais *à ce point* !

Quand on se fait dire qu'on ressemble à son père, ou à sa mère, ou à ses frères et sœurs, on se dit oui, bon, c'est peut-être vrai, le nez, tiens, ou les yeux, ou bien la bouche, cette façon de sourire... Ou le gabarit. Je sais depuis toujours que j'ai hérité le gabarit de mon père et de mes frères, c'est évident, là n'est pas le problème. Ce que je ne savais pas et qui m'a sauté à la figure ce jour-là, c'est que je *suis* mon frère que je déteste ! Du moins physiquement. Ce qui est déjà énorme, crois-moi. Mais tu me connais assez pour comprendre ce que cette révélation a pu avoir de terrible pour moi, ce qu'elle a pu déclencher de laid et de dévastateur.

Je te parlerai de mon frère plus tard. Pour le moment, revenons rue Sainte-Catherine.

Après une autre digression. Utile, celle-là…

Tu connais ma passion presque maladive pour la fonction *pause* sur les télécommandes des lecteurs de cassettes vidéo, des vidéodisques et, maintenant, des DVD. Il y a une quinzaine d'années, Luc sacrait chaque fois que je l'utilisais, surtout qu'à l'époque, les machines étant moins sophistiquées, l'image n'était pas stable. Il prétendait que ça lui donnait mal au cœur, des discussions sans fin s'ensuivaient et je ne suis pas sûr que ça n'ait pas un peu compté dans notre séparation soi-disant à l'amiable. Quand le vidéodisque est arrivé, je me suis cru un homme heureux : image parfaite et stable, mécanique qui ne se redéclenche pas au bout de deux minutes, je pouvais enfin contempler tant que je le voulais le visage de Deborah Kerr, à la fin de *The Innocents,* lorsqu'elle se rend compte que le petit Miles est mort, ou la Sagarina, de dos, qui trouble tant le jeune Marcello dans *8 1/2.* Et, bien sûr, des tas d'autres choses moins avouables. Avec le DVD, c'est encore mieux, l'image est plus claire, plus *profonde*, je dirais, et j'ai ainsi récemment surpris le reflet de l'équipe technique dans deux portières de voitures au beau milieu de *From Russia, With Love.*

Tout ça pour te dire qu'une télécommande serait bien utile, parfois, dans la vie.

Tu me vois venir...

Eh oui, je l'ai fait : encore sous le choc de ce que je venais de surprendre dans la vitrine en diagonale, je me suis arrêté sur le trottoir, j'ai fait demi-tour et je suis venu me replacer devant le présentoir de chaussures, de façon à bien me voir dans la vitre. Et, oui, oui, tu peux rire, j'ai figé sur place, comme si je venais d'utiliser une télécommande, en me tenant un peu de profil à la vitrine. Évidemment, je ne voyais que ce que je voulais bien voir. C'était bien moi, le pauvre petit moi avec mon gros manteau d'hiver et ma tuque de marin. C'était peut-être la tuque, alors ? Je l'ai enlevée. Non. J'ai un peu détourné la tête, je me suis regardé du coin de l'œil. Ridicule. J'ai reculé de quelques pas, je suis passé devant la vitrine en jetant un rapide regard en direction de mon reflet. Non. Je jouais comme d'habitude à être moi. Ou bien j'avais été victime d'une illusion, ou bien il me faudrait attendre un autre hasard pour vérifier si, en plus d'être affligé du gabarit de mon frère, je déambule comme lui dans la rue, avec son geste du bras gauche que j'ai toujours trouvé ridicule, son port de tête, sa façon de se tenir un peu raide comme si le monde lui appartenait alors qu'il n'a rien pour lui, le pauvre.

Horreur ! Il me fallait repartir, m'éloigner, aller prendre le métro, et je ne savais plus comment me comporter en pleine rue Sainte-Catherine ! Quoi faire avec mes bras (j'ai mis mes mains pourtant gantées dans mes poches) ; comment poser un pied devant l'autre, à quelle hauteur tenir mon menton pour ne plus ressembler à mon frère. Devais-je bomber la poitrine pour cacher mon ventre ou, au contraire, laisser ma bedaine s'affaisser, arrondir les épaules, piquer le nez dans la gadoue... J'étais figé, les deux pieds plantés dans le mélange de sel et de neige sale. Je crois que je me serais jeté à quatre pattes et que je serais rentré à la maison comme ça, en faisant des pauses pour pisser sur les bornes-fontaines, si un taxi ne s'était pas arrêté près de moi pour déverser son trop-plein d'adolescents qui s'en allaient s'empiffrer de *smoked meat* chez Nickels.

Ce qui me fait penser que j'ai une faim de loup et que mon estomac gronde depuis une bonne demi-heure déjà. Alors, à tout à l'heure et, encore une fois, patience.

Plus tard

Tu te souviens du snack-bar juif dont l'entrée se trouve dans le hall de l'hôtel Edison ? Comme nous y avons divinement mangé ? Et comme nous y avons ri de ce que j'appelais les *New York Creatures* qui le fréquentent, le soir, avant le théâtre, weirdos de toutes sortes, venus de partout pour avaler rapidement la soupe au poulet ou le bortsch froid avant de se disperser à travers les rues avoisinant Broadway ? Il existe toujours. J'en arrive. Et, comme d'habitude quand je suis nerveux, j'ai trop mangé. On annonçait des *turkey drumsticks*. Tu sais comme j'aime la dinde. Et surtout le pilon. Je me suis dit que deux ou trois petites tranches de viande brune ne me feraient pas de tort, mais ce que j'ai trouvé dans mon assiette, c'était le pilon au complet, avec un amoncellement de patates pilées et de légumes bouillis ! Je crois bien que j'avais deux livres de dinde à manger ! Malgré ma première réaction de dégoût (tant de viande pour le lunch, c'était indécent), j'ai consciencieusement terminé mon assiette et me voilà bourré comme un œuf. J'ai l'impression que je vais me mettre d'une minute à l'autre à suer du jus de dinde.

Je dois t'avouer que j'ai même un peu mal au cœur.

Mettons tout ça, le repas comme la nausée, sur le compte de cette lettre que je me suis enfin décidé à t'écrire après tant d'hésitation, et continuons notre édifiant récit.

Le retour à la maison m'a paru durer une éternité, ce jour-là. J'ai fermé les yeux pour ne pas avoir la tentation de chercher mon reflet dans le rétroviseur du taxi – je sais que tu souris, mais crois-moi, je n'exagère pas, ou à peine –, et j'ai essayé de réfléchir. En vain, bien sûr. Alors je me suis traité de tous les noms en me disant que, de toute façon, j'aurais tout oublié ça le lendemain. Et que je devrais essayer tout de suite, si je ne voulais pas tomber tête première dans le trou noir de la rumination.

Penses-tu.

Dès mon arrivée devant la maison, incapable de garder ça pour moi, du moins le croyais-je, je suis monté chez

Mélène pour lui raconter ma mésaventure.

Mélène a beaucoup changé depuis la mort de Jeanne. (J'en profite d'ailleurs pour te dire que ton absence a été très remarquée à l'enterrement, en janvier. Tout le monde te cherchait. Et quelques-uns, dont je suis, pensaient que tu aurais pu te forcer un peu, couper tes belles vacances d'un an en deux et venir offrir en personne tes condoléances à une amie de plus de trente ans plutôt que de te contenter d'un bouquet de fleurs commandé par téléphone ! En tout cas... passons.) Elle a maigri, elle erre à travers l'appartement comme une âme en peine – ce qu'elle est, en fait, elle pleure tout le temps –, elle pense même à vendre. Vingt ans à vivre avec la même personne dans le même appartement, ce n'est pas rien. Je crois même qu'elle dort dans le salon pour éviter leur chambre, leur lit.

Je l'ai trouvée devant une tasse de thé froid, les yeux gonflés, toujours pas habillée à près de quatre heures de l'après-midi un samedi. Et je n'ai pas osé lui raconter mon aventure. Je me suis contenté de lui poser des questions qu'elle a trouvées idiotes et qu'elle a largement commentées, tu connais sa grande délicatesse. Si je lui avais expliqué ce qui venait de se produire, elle aurait probablement tout désamorcé avec son si beau rire mais, c'est drôle, devant sa détresse si visible, les marques de la peine sur son visage, cette négligence qui lui ressemble si peu, j'ai trouvé mon problème bien insignifiant.

En tout cas, voici donc, en gros, cette première conversation que j'ai eue au sujet de ce qui allait bientôt se développer chez moi en véritable obsession.

« Trouves-tu, Mélène, que je ressemble à mon frère ?

— Lequel ? Tu ressembles aux deux ! Et je te l'ai dit chaque fois que je les ai rencontrés.

— À Richard plus qu'à Philippe ?

— Non.

— Comment ça, non ?

— Ben, est-ce que la réponse était oui ? C't'un jeu ? Y avait un prix à gagner ?

— Non, mais… Je sais pas…

— Tu veux que je te dise que tu ressembles plus à Richard qu'à Philippe, c'est ça ?

— Non. Enfin, pas nécessairement.

— Bon, qu'est-ce que t'as derrière la tête, aujourd'hui ? Y fait trop beau, tout va trop bien pour toi, y faut absolument que tu te gâches l'existence en t'inventant des problèmes parce que tu trouves que t'en as pas assez ?

— Je déteste ça, quand tu me parles comme ça…

— Je te parle comme ça quand tu le mérites.

— Bon, O.K. Laisse faire. On en parle plus.

— Ah non ! par exemple ! T'as commencé une conversation, je veux savoir pourquoi et je veux surtout qu'on la continue. Pour répondre à ta brillante question, tu ressembles d'une façon hallucinante à tes deux frères. Si y étaient pas beaucoup plus vieux que toi, on pourrait vous prendre pour des triplets. Es-tu content ? Non ? Je continue. Vos traits sont ceux de votre père, vous avez sa… sa… disons sa corpulence, vous marchez comme lui, votre port de tête est le même…

— C'est ça, c'est ça, parle-moi de mon port de tête, de ma démarche ; c'est pas plutôt ceux de Richard que ceux de mon père ?

— Quelle différence ça peut faire ?

— Pose-moi pas de questions, Mélène, ça va me mêler ; contente-toi de répondre aux miennes.

— C'est drôle, hein, mais je sens que je devrais pas ! Je sens poindre à l'horizon une de tes fameuses périodes obsessionnelles…

— Chuis pas obsessionnel !

— Si tu retires pas ça tout de suite, je continue pas la conversation !

— O.K. Chuis un peu obsessionnel.

— Un peu !

— O.K. Des fois pas mal.

— T'es comme un chat ! T'es obsessionnel comme un chat à qui on défend de faire quelque chose ou d'aller quelque part et qui veut n'en faire qu'à sa tête ! T'as le museau qui revient toujours sur le bobo, même si on essaie par tous les moyens de te convaincre qu'y en a pas, de bobo !

— Chuis pas venu ici pour me faire faire la morale…

— Non, t'es venu me poser une question idiote à laquelle t'avais déjà trouvé une réponse ! Et j'ai commis l'erreur de te fournir la mauvaise ! Et tu sortiras pas d'ici, je te connais, tant que j'aurai pas changé d'idée et que je t'aurai pas fourni la bonne. C'est quoi, la bonne réponse, hein ? Que t'es la copie conforme de ton frère Richard ? Que si je vous voyais de dos, je serais incapable de faire la différence ? Que tu parles comme lui ? Que t'as le même timbre de voix, les mêmes tics de la bouche, les mêmes froncements de sourcils ? Tout ça est vrai ! Ben oui ! Mais c'est aussi vrai pour ton frère Philippe, et c'est surtout vrai pour ton père parce que, imagine-toi donc que vous êtes tous les trois les fils de votre père ! Ta mère n'a jamais fauté de sa vie et a eu la délicatesse de fournir à ton père trois belles copies de lui-même en semant par-ci par-là des petites choses qui venaient d'elle, comme ton grain de beauté dans le cou et son front large ! Mais c'est toujours pas ça, la bonne réponse, hein ? »

Je l'aurais frappée. Je te jure que c'est vrai ! Il n'y a rien de plus insultant qu'un proche qui vous connaît trop et qui dépasse trop vite vos besoins. Parce qu'elle dépassait déjà mes besoins. Je n'étais pas prêt à lui raconter ce qui venait de se passer et elle allait plus vite que moi, elle me devinait trop, elle débordait du rôle que je voulais lui faire jouer, elle osait en plus se moquer méchamment d'une chose qui venait de me bouleverser, en la banalisant avant même que j'aie eu le temps d'y réfléchir.

Et, lâche comme toujours, je l'ai quittée en boudant.

En entrant chez moi, le téléphone sonnait.

C'était elle.

« Tu me laisses en plan comme ça, sans rien expliquer ? »

Je lui ai dit que je la rappellerais après mon bain. Et je me suis arrangé pour oublier.

cru apercevoir cette pare
us les sens du mot – pend:
'un instant et ce que je pren
t tout simple, il ne fallait
lus loin, c'était que j'en ét
abité sans en être à peu p
scient. Voilà, nous sommes
œur du sujet : le contrôle.
question que je ne contrô
ns ma vie et j'étais confron
e sur laquelle je n'aurais
e maîtrise ! Non seulement
à mon frère aîné que je
oir en peinture, mais *je n*
! J'en avais été inconscie
quante-cinq ans sauf quan
occasions, on m'en faisait
t maintenant, à cause d'u
ne vitrine, je devrais passe
es jours avec cette affolan
artout, où que j'aille, que
mon frère que je n'aim
nasard de distribution de
ode génétique, allait pa
léchir, décider, agir pou
ce.
enser que j'avais tort, que
ux, parce que ça ne l'étai
ça qui me gâche la vie

nais sur le côté gauche
e dormir ; est-ce que *hu*

34

Ce fut, tu l'auras deviné, une nuit épouvantable. Je me trouvais ridicule, stu-
pide, hystérique ; après tout, qu'est-ce
que ça pouvait bien faire que je ressemble à ce point à mon frère, c'était
normal, je le savais *déjà*, ce n'était pas
comme si ça avait été une révélation,
alors pourquoi me laisser ainsi déranger
par une image fugitive sur laquelle je
n'avais aucun pouvoir et qui, après tout,
ne changeait rien ? Du moins pour les
autres qui me voyaient toujours ainsi ?

Les interviews de moi que j'avais vues
à la télévision durant toutes ces années
où j'en avais tant accordé, les bouts de
films tournés soi-disant dans mon quoti-
dien pour illustrer un commentaire que
je faisais ou simplement comme rem-
plissage – des *stock shots*, quelle vilaine
expression ! – pour éviter de toujours
montrer la même tête qui parle, je m'en
rendais compte plus que jamais, n'étaient
que l'image que je voulais bien projeter
de moi. Ça aussi je le savais. Quand on
te filme, tu le sais, tu te montres *toujours* sous ton meilleur aspect sinon ton
meilleur angle, même quand tu fais sem-
blant de ne pas y penser, alors quoi ?
Quoi ?

Un poème de Saint-Denys Garneau
que j'ai tant aimé durant mon adolescence – imagine, mourir d'une crise

cardiaque à trente et un ans parce qu'on est trop malheureux ! – m'est revenu en mémoire. Tu dois t'en souvenir, toi aussi :

Je marche à côté de moi en joie
J'entends mon pas en joie qui marche à
*   côté de moi*
Mais je ne puis changer de place sur le
*   trottoir*
Je ne puis pas mettre mes pieds dans ces
*   pas-là et dire voilà c'est moi...*

C'était ce même dédoublement que j'avais vécu, cette même impression d'être en dehors de son corps et de se regarder agir, excepté que mon court voyage astral à moi était négatif plutôt que jouissif comme celui du poète. Lui, dans son poème, savait pourquoi il était en joie et voulait rejoindre sa vision ; moi, là, dans mon lit, prostré, la nuque mouillée, le cœur battant, je ne pouvais pas croire que je me retrouvais ainsi chambardé juste à cause d'une ressemblance physique. Y avait-il autre chose derrière, avais-je aperçu dans cette vitrine posée devant mon insouciance en plein cœur d'après-midi quelque chose de moi que je reniais et que je ne voulais pas voir ?

Je sentais que la réponse était non et je n'en étais que plus frustré. Non, c'était, à bien y réfléchir, vraiment cette

ressemblance
que je refusa
J'avais beau f
d'autre. Et,
trouver quel
gros problè
pencher ma
nouveau co
ranoïa sans
que je viei
ça, cette p
bien banal
et à laquel
vivent : le
famille, le
normalen
le pire, h
quand tu
ton oncle
j'ai pen
trude, t
bras d
laver...
    Pou
morce
laissai
son d

La
To
La

J'avais
– dans to
l'espace d
pas, c'éta
chercher
toujours h
jamais con
crois, au
n'est pas
pas tout d
à une cho
mais aucun
ressemblais
peux pas v
pouvais rie
pendant cin
en de rares
remarque, e
reflet dans u
le reste de m
notion que j
que je fasse,
pas, par un
atomes, du
tiellement ré
moi. À ma pla
    Ne va pas p
tout ça était fa
pas. Et c'est
depuis.
    Je me tour
pour essayer d

faisait ça, lui aussi ? Dormait-il sur le côté gauche ? Je me couchais sur le dos. Pourquoi est-ce que je ne dors jamais sur le dos ? Est-ce de famille de ne pas dormir sur le dos ? Mon père avait-il jamais dormi sur le dos ? Ma mère ? Mes frères ? *Lui,* encore ?

Je me suis levé, j'ai ouvert la télévision, chose que j'évite de faire la nuit parce que ça me donne l'impression d'être la seule personne au monde en train de regarder un film oublié de John Wayne ou une œuvre mineure de François Truffaut.

Est-ce que…

Je n'allais quand même pas devenir obsessionnel à ce sujet-là ! (« Tu l'es déjà ! Non, s'il vous plaît, non ! »)

J'ai fini par m'assommer avec un vieux valium qui traînait depuis peut-être des années dans le fond de ma pharmacie, parce que je ne touche plus à ça depuis belle lurette. Je n'ai pas dormi, je crois que j'étais dans le coma. Et c'est tant mieux, parce que, moi, c'est à cinquante-cinq ans que je serais mort d'une crise cardiaque !

Fin de soirée

Je me suis accordé une autre pause. C'est bien beau l'introspection, mais je suis tout de même à New York, ville de toutes les tentations, the *Big Apple*, là où tout est possible et faisable !

La vraie raison était que j'avais besoin de m'aérer un peu les esprits avant de sombrer dans une autre bouffée délirante comme celles que j'ai connues récemment à Montréal. Je voyais venir le moment où je n'aurais plus le contrôle – encore ! – sur mes pensées, où mon écriture deviendrait absconse et abstruse, et j'ai préféré attendre que mon calme soit revenu avant de continuer ma confession.

Après une petite heure de lèche-vitrine (Virgin Records, Barnes and Noble), je suis entré n'importe où voir n'importe quoi, en l'occurrence un de ces films tellement violents qu'on a l'impression, à la sortie, d'avoir visité un abattoir. Puis, traînant la savate parce que tout ce sang répandu m'avait coupé l'appétit, je me suis promené à Broadway en me demandant si j'allais au théâtre – il passait sept heures et beaucoup de choses me tentaient – ou s'il n'était pas plus sage de revenir ici continuer à déverser mon trop-plein d'angoisse sur ce papier à lettres de l'hôtel Bristol.

J'ai choisi le théâtre ou, plutôt, le théâtre m'a choisi, puisque je me souviens à peine d'avoir acheté un billet moitié prix au TKTS, au coin de Broadway et de la 47e rue, pour une comédie musicale intitulée *The Life* qui s'est avérée, en fin de compte, non seulement divertissante, mais aussi brillante, colorée, enjouée et, comme disent les Américains, *uplifting*, exactement ce dont j'avais besoin. Au milieu des aventures des prostituées de la 42e rue qui n'étaient pas sans rappeler la Cabiria de Fellini, plongé dans l'atmosphère délétère du Broadway si dangereux des années quatre-vingt, j'ai oublié pendant trois bonnes heures cette lettre que je t'écris et ça m'a fait du bien.

En revenant à ma chambre, plus de papier. Ou presque. Deux feuilles sur lesquelles je ne pouvais pas coucher grand-chose de conséquent. Je t'écris donc ces derniers mots de ma première journée ici sur la dernière qu'il me reste. Je me vois dans l'obligation de te quitter jusqu'à demain alors que, je l'espère, on aura renouvelé mon stock. Je vais même leur demander de m'en laisser une bonne pile.

Je ne veux pas acheter de papier à lettres. J'aime l'idée de t'écrire tous ces secrets – il y en aura, tu verras – sur le papier du premier hôtel de New York que j'ai connu quand je suis venu y passer un week-end d'été avec mes parents et mon frère Richard – ben oui ! –, en 1957. Il y a quarante et un ans ! À ma première visite, on venait de créer *West Side Story*, peux-tu le croire !

Tard dans la nuit

J'écris dans la marge parce que je n'ai plus de place sur la feuille. Je n'arrive pas à dormir. Au secours ! Et à tout à l'heure.

12 mars
Après le petit déjeuner

C'est à croire qu'ils achètent leur papier à lettres à la boutique de souvenirs du hall de l'hôtel. J'ai tout de suite téléphoné à la réception en me réveillant. Oui, oui, pas de problème, on allait dans la minute me livrer des feuilles à en-tête du Bristol.

Douze ! J'en ai reçu douze ! J'ai demandé au vieux monsieur qui me les avait livrées si je pouvais en avoir plus, beaucoup plus. Il a fait des yeux ronds, m'a déclaré le plus sérieusement du monde que douze était le nombre de feuilles qu'on laissait dans les chambres. J'ai insisté. Il m'a dit de rappeler la réception. Avec une voix nasillarde et zozotante, le réceptionniste m'a demandé si j'étais en train d'écrire *the big American novel.* Je lui ai répondu que s'il ne m'envoyait pas immédiatement une rame de papier – je me suis souvenu à la toute dernière seconde du mot *ream* –, il allait recevoir dans la demi-heure qui suivait *the big American complaint.*

Et me voilà propriétaire d'une pile de cinq cents feuilles de papier à lettres de l'hôtel Bristol, New York, N.Y. J'espère pour toi que je ne les utiliserai pas toutes. Tu viens d'aller vérifier une autre fois combien de pages contient ma lettre, n'est-ce pas ? Combien, au fait ? Est-ce que j'ai passé à travers la rame de papier ? Est-ce que ma source a tari avant ? Ai-je terminé ma ô combien passionnante missive, existe-t-elle, l'as-tu reçue ? Es-tu vraiment en train de la lire ?

Déjeuné au Dean and De Luca de la 47e rue que j'aime tant. Je suis peut-être le seul être humain à manger des scones le matin, mais j'adore ça ! C'est en même temps salé et sucré, c'est moins insignifiant qu'un muffin anglais, beaucoup plus satisfaisant que des toasts. Et ça bourre.

Tout en lisant les journaux du matin, je regardais les portiers si chics de l'hôtel Paramount ouvrir des portes de taxis ou de limousines, faire la courbette, recevoir discrètement leurs pourboires. Ils ont tous à peu près le même physique : beaux, grands, costauds, la queue de cheval lissée ou la bouclette bien placée. Des acteurs sans travail ? Sans doute. Dans un an ou deux, ils auront peut-être leur chance, traverseront la rue pour aller passer une audition juste en face, iront lever la patte dans une comédie musicale à succès ou un flop monumental. Et, un bon jour, devant l'hôtel Paramount, en descendant d'une limousine blanche – les plus quétaines –, ils se rappelleront leurs débuts et gratifieront un de leurs successeurs d'un beau gros billet de vingt dollars. Par pure culpabilité. *This is America, you know. The land of opportunity.*

En parlant de culpabilité, revenons donc à nos moutons, au principal de notre propos, au cœur de notre sujet, à notre conversation initiale, au sujet de cette lettre, à la source de tous mes malheurs.

Je t'ai souvent parlé de Richard. Toujours en termes négatifs. J'ai passé ma vie à le critiquer, il a passé sa vie à faire la même chose à mon sujet. Nous avons douze ans de différence, rien en commun, et nous n'avons jamais pu nous souffrir.

C'est faux.

Soyons juste.

Quand j'étais enfant, il était plutôt gentil avec moi, il m'a fourni mes premières notions de lecture, de musique classique, de chansons populaires. Ses goûts musicaux, tu vas voir leur étendue, allaient de Mario Lanza à Luis Mariano et il rendait ma mère folle à force de faire tourner à cœur de jour *Acapulco* de celui-ci et *Granada* de celui-là.

Il avait beau jouer les mentors avec moi, je l'ai vite dépassé et il m'en a voulu : je suis passé trop rapidement à son goût de la comtesse de Ségur à Jules Verne, de Mario Lanza à Maria Callas, de Luis Mariano à Pat Boone. Et quand il m'a trouvé avec un exemplaire du *Portrait de Dorian Gray* d'Oscar Wilde, il m'a fait une crise épouvantable (« C'est un livre de tapette ! Que je te voie pus jamais avec un livre de tapette, m'entends-tu ? ») et ne m'a pas parlé de tout un mois. Ce fut même là, je crois, notre dernier échange littéraire.

MOI. Qu'est-ce que ça peut faire, si c'est bon ?

LUI. C'est du poison ! Ça va t'empoisonner !

MOI. Ben, j'aime mieux ça que ton *L'Homme, cet inconnu* du docteur Alexis Carrel ! C'est moins plate !

LUI. Au moins, c'est un livre catholique !

MOI. Alexis Carrel est un biologiste ; les biologistes devraient pas être catholiques !

LUI. Ben, y est catholique pareil ! Tu devrais lire plus de livres catholiques, ça t'enlèverait tes idées de fous !

MOI. J'lis pas pour me faire faire des sermons !

LUI. Non, tu lis pour… pour… t'empoisonner l'esprit !

MOI. Tu l'as déjà dit. Tu te répètes. Développe, un peu ! Si t'es capable !

Il en était effectivement incapable et il a tourné le dos. À moi, bien sûr, mais surtout à toute discussion.

Pour, tu ne me croiras peut-être pas, se replonger dans *L'Homme, cet inconnu* ! Voulait-il vraiment me donner l'exemple ? Ne s'est-il pas plutôt enfermé dans son étroitesse d'esprit, sans complexe, sans se cacher, par conviction ?

Cet après-midi-là, nous avons lu en parallèle *L'Homme, cet inconnu* et *Le Portrait de Dorian Gray*, deux poisons bien différents.

Ceci n'est qu'un petit exemple de nos chamailles et empoignades. Nous avons passé mon adolescence à nous engueuler.

J'ai l'impression de mal m'exprimer, de ne pas être clair dans ma description de ce frère que je n'ai jamais vraiment aimé. Les engueulades, après tout, sont tout à fait normales entre frères et celle que je viens de te décrire peut sembler parfaitement banale… Mais voilà, rien de ce que je recevais de mon frère n'était banal. C'était ma faute à moi, je le sais, je trouvais tout ce qui sortait de sa bouche ridicule, je le traitais de réactionnaire à cœur de jour et jamais je ne le laissais terminer une phrase sans éclater de rage ou l'interrompre d'un mot blessant, d'une remarque acerbe.

La question, bien sûr, est *pourquoi*?

Il y a bien ce côté « Tit-Jos Connaissant » que nous avons hérité de notre père, Richard, Philippe et moi, et contre lequel, tu t'en souviens, j'ai lutté pendant des années pour finir par m'en guérir à peu près, du moins je l'espère. Richard en est le plus atteint de nous trois et il n'y a rien de plus désagréable au monde que de le voir prétendre tout savoir et tout connaître, imbu de lui-même jusqu'à l'insupportable et engoncé dans son ignorance crasse, parce que ignorant, crois-moi, il l'est! Déjà, quand j'étais adolescent, lorsqu'il se permettait de parler littérature alors que je ne l'avais presque jamais vu lire ou cinéma alors qu'il ne s'y rendait jamais, j'étais incapable de me retenir, j'explosais, je l'insultais, je lui mettais ses vérités sous le nez et je me voyais puni par l'origine même de cette mauvaise habitude, notre père, qui prétendait que je devais *apprendre* en *écoutant* religieusement ce que disaient mes aînés!

Tous les Québécois ont un Tit-Jos Connaissant dans leur famille, un mononcle fatigant, une teigne dont on ne ʋait plus comment se débarrasser, qui sait tout sans avoir jamais rien appris, mais chez moi la maison en était pleine ! Quel que fût le sujet de conversation du jour, les grands titres des journaux ou les manchettes du téléjournal, mon père se dressait du haut de ses six pieds et un, proférait neuf fois sur dix *une bêtise sans nom*, suivi de mes deux frères qui ne voulaient pas se laisser damer le pion, j'imagine, dans la spéculation oiseuse et le jugement irréfléchi, et qui parlaient plus fort que lui, si c'est possible, pour attirer son attention, alors que lui n'a jamais écouté quiconque que lui-même.

S'ensuivait alors une sorte de pêle-mêle à trois voix parfois du plus haut comique où les protagonistes, plutôt que d'échanger des idées, se lançaient en parallèle des niaiseries que personne n'écoutait.

Sauf moi.

Si nous étions à table, ce qui arrivait très souvent, je posais mon couteau, ma fourchette, je croisais les bras en m'appuyant sur le dossier de ma chaise et je les écoutais monologuer avec, j'en suis convaincu, un petit sourire méprisant qui n'aurait trompé personne si quelqu'un s'était donné la peine de me regarder. Penses-tu. Ça criait, ça lançait des postillons, ça frappait du poing sur la table, ça essayait de se convaincre soi-même que ça connaissait quelque chose et rien d'autre n'existait plus, surtout pas le petit dernier qui n'était pas encore en âge de discuter avec les grands.

Ma mère, parfois, lisait sur mon visage ma rage et ma frustration et me faisait signe de continuer à manger.

« Ça va refroidir, pis tu vas en laisser la moitié. »

Je ne l'entendais même pas. Je devinais ses mots dans le brouhaha ambiant.

Elle n'ajoutait rien. J'étais sûr qu'elle souffrait, comme moi, du vide des bruits de voix qui l'entouraient, mais elle se contentait de soupirer, se fermait au reste du monde et coupait lentement son steak saignant ou son poulet en sauce.

Des fois, visiblement exaspérée, elle disait :

« Arrêtez de crier de même, pour l'amour du bon Dieu, y vont vous entendre jusqu'au septième voisin ! »

Si c'était l'été et que la fenêtre était ouverte, ils baissaient le ton pendant quelques minutes pour mieux reprendre leurs niaiseries après cette courte trêve ; si c'était l'hiver, ils faisaient comme si elle n'avait rien dit et continuaient de pérorer. Trois poules prises dans une clôture.

Ça pouvait durer des heures, surtout si le sujet était politique. Des horreurs sortaient alors de leurs bouches.

Souvent, ils exprimaient, sans honte et avec un toupet de tous les diables, cet antisémitisme primaire, presque inconscient, dont étaient atteints une grande partie des Québécois de l'époque et qui leur venait des curés, surtout des jésuites pour qui les Juifs, leurs ennemis de toujours, représentaient le démon, l'enfer, et tutti quanti.

Mon frère Richard, surtout, typique produit des jésuites, devenait intarissable lorsqu'il parlait des Juifs, de la conspiration des Juifs pour s'emparer du monde, surtout celui des catholiques, de leur physique, de leur façon de manger, même de bouger.

Enfant, ignorant tout du racisme, j'avais tendance à l'écouter, je me demandais quelle était donc cette affreuse race maudite de Dieu et qui, à entendre parler mon frère (et certains de mes enseignants), avait osé juger le Christ et le crucifier. Et quand j'ai eu compris à quel point Richard était ignorant à leur sujet et fier de l'être, quand je me suis rendu compte – Dieu ! j'espère encore que je me trompais – que même l'holocauste ne semblait pas le déranger outre mesure, mon ressentiment pour lui s'est changé en quelque chose qui ressemblait à de la haine. J'ai essayé, à table, de lui fermer la gueule à quelques reprises, mais il me répondait – oui, il osait ! – que je ne comprenais rien à rien et que si je me laissais faire, j'allais un jour me retrouver dans un monde juif d'où tout catholicisme, la seule religion acceptable parce que la sienne, aurait disparu.

Et si j'en avais quinze, il avait presque trente ans !

Mon père et mon frère Philippe, moins « au courant » de la question juive, allaient même jusqu'à le laisser parler et l'écoutaient, bouche bée, acquiesçant et d'accord avec tout, pourvu qu'on parle contre quelqu'un.

Car au cœur de tout ça, j'en suis convaincu, les critiques incohérentes, les colères irraisonnées et même le racisme né du manque d'information, c'était leur frustration profonde qu'ils exprimaient, leur souffrance de laissés-pour-compte, leur complexe de petites gens pas assez curieux pour s'informer, mais assez intelligents pour se rendre compte de leur misère. Ils souffraient et mettaient tout ça, c'était plus facile, sur le dos des autres, les politiciens, les intellectuels, les Juifs. Pour eux, les Juifs étant politiques *et* intellectuels, se trouvaient coupables de tout, surtout de leurs problèmes.

(Ce n'est plus une digression que je ponds là, c'est quasiment un historique de ma famille ! Tu dois en connaître un bout là-dessus, toi le grand psychanalyste ! M'as-tu déjà dit que tu demandes parfois à tes clients d'écrire leurs problèmes, de les coucher sur la page blanche pour se les expliquer à eux-mêmes ? Non, je crois que tu m'as plutôt expliqué que la psychanalyse doit *toujours* passer par la parole. En tout cas, pour moi, l'écriture, ça fonctionne !)

Enfin, bref, issu d'une famille de Tit-Jos Connaissant, raciste qui plus est, notre héros a tout fait pour s'en sortir.

De cette période de ma vie où j'ai eu à lutter contre le racisme de mon frère, il me reste tout de même un stigmate : cette façon que j'ai de faire des farces au sujet des Noirs et des Juifs, toujours absurdes, souvent incomprises, un peu comme si j'étais atteint de la maladie de la Tourette et que j'étais inconscient de ce qui sort de ma bouche ! Ce sont toujours des plaisanteries, mais elles ne sont pas toujours comprises comme telles. Tu te souviens des colères que tu me faisais, dans les années soixante-dix, quand les Haïtiens nouvellement débarqués à Montréal ont pris d'assaut l'industrie du taxi ? J'avais beau te dire que c'étaient des farces que je faisais, le jeune psychanalyste en toi s'insurgeait et tu m'assénais des sermons que je trouvais bien drôles mais que peut-être, en fin de compte, je méritais.

Il ne me reste plus qu'à souhaiter à mon frère Richard d'être atteint de la maladie de la Tourette ! Mais j'ai bien peur qu'il n'ait même pas cette chance-là !

Plus tard

Besoin de repos.

Promenade dans SoHo.

Depuis près dix ans, maintenant, que le métro de New York a été nettoyé de ses graffiti et de sa crasse, il est redevenu agréable de l'emprunter. Et à peine moins dangereux. La faune qui le fréquente est toujours aussi bizarre et bigarrée, weirdos de tout acabit qui vous dévisagent comme s'ils allaient vous attaquer ou comme s'ils croyaient que vous alliez leur sauter dessus pour leur voler leurs sacs à provisions, ravissantes jeunes filles conscientes de leur beauté et qui se regardent sans arrêt dans les vitres des portes coulissantes ou dans les yeux des hommes qui les reluquent, travailleurs épuisés qui sortent d'un double horaire ou, pire, d'un second emploi, punks de toutes sortes et de toutes les couleurs qui font les pieds au mur pour ne pas passer inaperçus, voyageurs insignifiants comme moi qui essaient justement de passer inaperçus tout en sachant qu'ils sont la proie idéale pour les pickpockets, nombreux dit-on, et affairés.

À la sortie de la rue Prince, je suis allé acheter un petit contenant d'olives vertes, les pâles, mes préférées, grosses et charnues, que j'ai savourées en déambulant dans le quartier. Les propriétaires de galeries d'art sont habitués de mettre poliment à la porte les promeneurs qui entrent chez eux avec de la nourriture – Coke, chips et autres hot dogs ou bretzels –, mais, je crois, ils n'avaient jamais vu un mangeur d'olives s'installer pendant de longs moments devant les œuvres qui l'intéressaient tout en crachant régulièrement des noyaux dans son poing, et ils m'ont laissé en paix. Les olives sont-elles moins salissantes que les chips ? J'en doute, mais elles sont *rares* dans les galeries d'art, et dans ce quartier où tout ce qui est différent est traité avec respect, en manger en pleine rue a dû passer pour le comble du snobisme et on a décidé de considérer ça comme un trait d'originalité alors que les olives, tu le sais, sont ma grande passion.

Et celles-là, je l'ai déjà écrit, mes favorites. Je préfère leur goût acidulé et salé à toute forme de sucrerie, même les gâteaux les plus élaborés ou les tartes les plus cochonnes. Pour moi, le salé c'est la vie, et le sucré… enfin, je n'irais pas jusqu'à dire la mort, mais disons une certaine forme de condamnation à une certaine forme de malaise. Si tu ne trouves pas ce que je viens d'écrire très clair, pense « judéo-chrétien » et tu t'approcheras assez de la cuisante culpabilité que représentent pour moi les choses sucrées et de mon désintérêt pour elles.

Pendant toute mon enfance j'ai vu ma mère s'empiffrer de ce que nous appelions des « pâtisseries françaises » pour ensuite sombrer pieds et poings liés dans la plus profonde culpabilité, à cause de son poids, à cause de ses brûlures d'estomac, à cause de son taux de cholestérol familial dangereusement haut. Alors je me suis dit que je ne me laisserais pas aller au même désespoir… et j'ai engraissé aux pâtes et au gras animal ! Un gourmand qui se désintéresse des sucreries, c'est rare ; j'en suis un, et c'est peut-être pour ça que j'ai pu contempler à mon aise les dernières œuvres de Lazar, ce peintre français installé à New York et qui expose toujours rue Prince, près de West Broadway, en dégustant en toute impunité mes olives vertes…

Et toi, les « pâtisseries françaises », y consacres-tu encore tes fins d'après-midi ?

Te plonges-tu toujours dans le glacis citronné des millefeuilles de la Coupole ? Ton regard devient-il embué et mélancolique devant les vitrines qui sentent fort le beurre brûlé ? Mathieu, qui t'a croisé rue de Rennes il y a quelques mois, m'a confié que notre grand psychanalyste commençait à faire de la brioche. Sérieusement. Que ses joues, déjà généreuses, avaient presque gagné le col de chemise et, passe cette fin de phrase si tu veux, tremblotaient comme de la gelée de pommes...

Je ferais mieux d'abandonner ces rives dangereuses pour revenir à mes moutons. Mathieu m'a aussi dit qu'il était plutôt mal venu d'aborder ce sujet avec toi.

(C'est-tu vrai que t'as failli le gifler quand il a osé t'en parler ? C'est-tu vrai que tu lui as tourné le dos en pleine rue même si vous ne vous étiez pas vus depuis plus d'un an ? C'est-tu vrai que tu lui as raccroché la ligne au nez quand il a essayé de te rappeler, le lendemain ?)

Hi, hi, hi. Laisse-moi rire.

Et ne déchire pas cette lettre, je te le défends !

Et je te jure que je reviens à mon récit à la ligne suivante !

Bon. Oui. Mon frère Richard.

Sais-tu quoi ? Une idée bête, comme ça, j'ai eu envie de le revoir ! Pour

vérifier si mes craintes étaient fondées ?
Probablement. En tout cas, dès le lendemain matin, je me suis dit qu'il faudrait
bien, après quatre ans, que je revoie
mon frère bien-aimé, que je renoue nos
liens affectifs, que je sache enfin ce qu'il
était devenu après ces années de silence !

Comme je n'avais pas du tout envie
de le recevoir à la maison et qu'il n'aurait pas lui non plus le goût de s'y rendre,
j'ai téléphoné à ma cousine Aline qu'il
fréquente encore et qui continue à l'en-
durer, la sainte femme, pour lui demander si elle aurait le courage d'organiser
un innocent petit souper à trois. Elle a
tout de suite dit oui. Il faut dire qu'ils
ont le même âge, Richard et elle – en
fait, ils ont deux jours de différence –,
qu'ils ont été élevés ensemble, qu'ils sont
sujets aux mêmes préjugés, même si Aline,
elle, les combat, qu'ils ont des souvenirs
en commun pour remplir des soirées com-
plètes et de grands pans de nuits. Et
que, parce que ma cousine est une femme
intelligente, ils se sont toujours bien entendus. Elle a dû trouver le moyen de
passer par-dessus ses insupportables
défauts, moi pas. À moins qu'elle ne les
voie pas. À moins qu'ils n'existent pas.
À moins que je sois fou.

Non, non, non, t'en fais pas, je ne le
pense pas vraiment, j'ai juste écrit ça

pour attirer ton attention sur autre chose
que ce que j'ai dit à ton sujet à la page
précédente.

Avoue que ça a marché !

Puisque j'ai de nouveau toute ton
attention, je continue.

Mélène ne trouvait pas que c'était une
bonne idée que je rencontre mon frère.

« La dernière fois que vous vous êtes
vus, vous avez failli vous arracher les
yeux ! Tu m'avais dit que tu voulais pus
jamais le revoir ! »

Après que je lui eus enfin raconté mon
malheur (elle a beaucoup ri, j'ai beaucoup crié) et confié mon intention de
me confronter une fois pour toutes à
cette ressemblance qu'il fallait bien que
je finisse par accepter si elle était aussi
évidente que je le croyais ou par renier
définitivement dans un de ces dénis dont
je suis capable et que tu m'enviais tant
du temps de notre folle jeunesse, Mélène
avait pris ce ton moqueur qu'on vou-
drait lui extirper de la gorge lorsqu'elle
l'emprunte, pour le piétiner dans l'es-
poir de le détruire à tout jamais tellement il est insultant.

Tu comprends ce que je veux dire,
tu en as toi-même été victime. Le jour
même de ton départ, d'ailleurs, lorsqu'elle t'a dit à l'aéroport – avait-elle
tort, avait-elle raison ? – que tu quittais

Montréal non pas pour te reposer comme tu le prétendais, mais pour aller assouvir un démon de midi tardif que tu étais incapable d'assumer ici, de peur de croiser dans le village gay des clients que ça pertuberait ou des confrères moqueurs.

Oups. J'ai failli rayer ce que je viens d'écrire, ou alors renverser mon reste d'espresso – je suis attablé à un café de la rue Prince, le toupet au soleil – ou ma dernière cuillerée de confiture d'abricots, mais je me suis dit qu'une vacherie de plus ne changerait rien à cette lettre et que si tu avais eu l'intention de ne pas la lire jusqu'au bout – décidément, c'est une autre de mes hantises –, tu l'aurais abandonnée depuis longtemps.

Autre pensée bizarre, autre bienfaisante digression avant de me jeter dans le vrai cœur du vrai sujet : combien de lettres restent-elles pliées dans leurs enveloppes, enfouies au fond d'un tiroir, sans jamais être lues *jusqu'au bout*? Et que deviennent-elles? Des choses sèches et jaunissantes qui sentent la poussière et la pourriture quand on les retrouve et dont on se débarrasse sans les consulter parce qu'elles ne nous intéressent pas plus maintenant qu'autrefois? Se pourrait-il que les lettres que je forme en ce moment, que les mots que j'aligne pour construire des phrases à peu près acceptables ne soient jamais lus par d'autres yeux que les miens, qu'ils restent enfermés, inutiles, pâlissant à la noirceur, condamnés à l'oubli définitif au fond du tiroir de ta table de chevet ou, pire encore, enterrés sous les épluchures de patates d'un sac à déchets qui ira se décomposer sous des tonnes d'autres sacs à déchets dans le fin fond d'une dompe ? Et mesures-tu ce que ça peut représenter pour quelqu'un dont le métier est d'*écrire* ? Je comprends toutes ces générations d'épistoliers qui gardaient jalousement une copie de chacune des lettres qu'ils écrivaient ! Si je faisais ça avec celle-ci, ce ne serait pas pour la postérité, mais pour qu'elle *vive* ! (Il faudrait que j'aille vérifier quelque part l'origine de l'expression « lettre morte ».)

Enfin, bref, Mélène a tout fait pour m'empêcher, comme elle le disait si bien, « d'aller faire un fou de moi pour une raison tout à fait idiote ».

Mais j'avais déjà téléphoné, le rendez-vous était pris. Aline avait sûrement commencé à composer son dîner qui s'avérerait sans doute insipide parce que c'est une très mauvaise cuisinière.

« Ça s'annule, un rendez-vous.

— Pas quand on a envie d'y aller.

— T'as *envie* d'y aller ?

— J'ai envie de savoir…

— Mais tu le sais que tu lui ressembles !

— Je sais pas à quel point. Je veux savoir à quel point.

— Qu'est-ce que ça va te donner ?

— Recommence pas avec ça ! On tourne en rond, là ! On radote !

— À t'entendre parler, toi, on radote tout le temps !

— C'est vrai qu'on radote tout le temps. On arrive tous à l'âge où on commence à radoter, et on radote ! Toi, moi… »

Tout à coup, parce que j'avais failli la nommer, l'ombre de Jeanne s'est glissée entre nous et je me suis tu, incapable seulement de m'excuser, figé au milieu du salon de Mélène.

Jeanne, la plus radoteuse d'entre nous, au point qu'elle s'en rendait compte elle-même et nous présentait ses excuses à tout bout de champ, Jeanne qu'on a tous tant aimée et dont la présence remplissait encore l'appartement, est passée entre nous, s'est assise dans son fauteuil favori, s'est versé une tasse de thé fort comme elle l'aimait, je le jure.

Elle avait peur d'être un jour atteinte de la maladie d'Alzheimer, comme sa mère, et elle est partie beaucoup plus tôt d'une maladie aussi vilaine, mais plus foudroyante. Te manque-t-elle autant qu'à moi ? Nos amis nous quitteront-ils comme ça un à un, laissant chaque fois un trou de plus dans notre âme, une douleur plus grande, plus large, plus vaste ? En sommes-nous déjà là ?

Tu te souviens, hier encore je voulais écrire le chef-d'œuvre du siècle, la pièce définitive et toi surpasser Freud et Lacan et tous les autres... Ma mère disait toujours : « Vieillis ! Vieillir, c'est comprendre... »

Je me rends compte aujourd'hui que vieillir c'est comprendre qu'on ne changera rien, même avec les meilleures intentions du monde. Ce serait un bon titre pour l'autobiographie de l'un d'entre nous, ça : *Les Meilleures Intentions du monde*. Mais même ça quelqu'un nous l'a volé. Ingmar Bergman lui-même.

Nous voulions tout bouleverser, nous voulions un pays, nous voulions le respect du monde entier, sa reconnaissance officielle, et nous n'avons trouvé que désillusion, amertume et cynisme. Le cynisme est l'apanage des ratés. Ai-je besoin d'en ajouter plus ?

Je déteste ceux qui se vantent d'être cyniques ; ils ont toujours quelque chose de vilain à cacher.

Mais, si je me souviens bien, nous avions décidé avant ton départ que nous ne parlerions plus de ces choses.

Tristesse.

De ça aussi, j'aurais envie de parler pendant des pages et des pages... Le rêve versus la désillusion.

Mais nous avons mis un mouchoir dessus, comme une chose disgracieuse qu'on veut oublier, un caca inopportun, si ce mot-là peut s'appliquer au caca. Nous préférons l'ignorer plutôt que d'être obligés d'y faire face. Même toi, un psychanalyste !

Je sens que tu commences à trouver que je me laisse sérieusement aller, alors je reviens à mon récit trop souvent interrompu.

En pressant le bouton de porte de la maison de ma cousine Aline, je me demandais si nous étions issus, mes frères et moi, de trois mauvais œufs. Existe-t-il de bons et de mauvais œufs ? Avec le tripatouillage génétique qui se pratique de plus en plus de par le monde, on en est arrivé à pouvoir choisir de quels œufs, parmi des milliards et des milliards, seront issus nos poussins et nos poussinettes ; peut-être bien qu'un jour, qui sait, on pourra en plus savoir si ces œufs sont bons ou mauvais. Danger ultime d'une espèce déjà corrodée.

J'imaginais ma mère en poule couveuse se rendant compte un bon jour que ses trois œufs étaient pourris et les détruisant avec son bec, sans remords, juste pour rendre service à la société, éviter à son pays trois ratés de plus.

Mon Dieu chus pas déprimant à peu près, après-midi !

Je vais donc te quitter ici, au moment où je presse le bouton de porte de ma cousine, pour aller sauter dans le métro C qui me ramènera vers le quartier des théâtres. Rendez-vous plus tard à l'hôtel, pour la suite.

Que trouvera notre héros derrière la porte ?

Son destin ?

Une grosse farce plate ?

Une autre désillusion ?

Nous le saurons peut-être (l'auteur nous amène toujours dans des avenues que nous n'avons pas nécessairement envie d'emprunter) au cours du prochain épisode intitulé « La confrontation ».

Plus tard (fin de soirée)

J'ai tourné autour du pot pendant tout le reste de la journée, incapable de me rasseoir pour écrire, j'ai mangé des pâtes trop aillées chez Sophia, un de mes restaurants italiens favoris de New York, et j'ai passé toute la durée de *Bring da Noise, Bring da Funk* à ruminer mes fruits de mer et mes linguine. Une chance que ça ne dure qu'une heure et demie sans entracte. Savion Glover, la vedette du spectacle, est un jeune génie du *tap dance*, mais j'ai bien peur d'avoir été incapable de l'apprécier à sa juste valeur, occupé que j'étais à régurgiter et (oui, je sais que tu détestes le mot, mais pour une fois appelons un chat un chat en cette ère de l'euphémisme) à roter.

J'ai pris un Alka Seltzer. Je suis convaincu que tu seras ravi d'apprendre que ça va mieux.

Il est presque minuit et je sèche devant la page blanche à en-tête de l'hôtel Bristol, New York, N. Y.

Encore plus tard

La première chose que j'ai aperçue, par-dessus l'épaule d'Aline qui m'ouvrit grand les bras et m'y accueillit comme si j'avais été l'enfant prodigue lui-même en personne, fut mon frère Richard, affalé dans un divan, son maudit verre de lait à l'Amaretto à la main.

Par où commencer ? Ce prétexte ridicule (un verre d'Amaretto déguisé en verre de lait) qu'utilise mon frère depuis des décennies pour essayer de nous cacher son alcoolisme, par le fait même une indication de ce qu'il pense de notre intelligence, ou cet avachissement que je lui ai toujours connu, cet immobilisme devant tout qui m'insulte et me rend furieux ?

Disons pour faire plus court et sans la décrire dans les détails que je me suis approché de cette masse inerte en priant le ciel de lui trouver surtout des différences avec ce que j'avais entrevu quelques jours plus tôt dans la malheureuse vitrine de la rue Sainte-Catherine.

Le choc fut d'autant plus grand que j'y trouvai des choses que je n'attendais pas. Les veinules du nez et des joues, déjà présentes lors de notre dernière confrontation, s'étaient étendues, ramifiées, à un point tel que le milieu de son visage en était devenu cramoisi. Il ne pouvait quand même plus espérer faire illusion avec son verre de lait ! Quelque chose dans son regard me disait : si tu fais la moindre petite allusion à mes veines pétées, je te pète la gueule ! Je te jure que c'est vrai, que c'est ce qui émanait de lui pendant que je traversais le salon pour aller lui serrer la main. Pas l'embrasser comme on ferait avec un frère, pas le serrer sur mon cœur, non, lui serrer la main, pas même un ami, une connaissance, un étranger.

Une main molle, moite, sans personnalité, mais ça je le savais.

Une seule phrase : « T'as ben grossi ! » lancée comme une vacherie efficace dont on est particulièrement fier.

Quoi ! Moi, je n'avais pas le droit de faire allusion au réseau de veines éclatées qui lui sillonnaient le visage au point de le rendre presque méconnaissable et lui pouvait sans peur d'une sanction me parler de mon poids ?

Il fallait que je pense vite ; j'ai pensé vite :

« Pis toi, t'as tellement maigri qu'on dirait que tu vas nous quitter d'une journée à l'autre ! »

Et c'était vrai. Il avait l'air malade, faible, et mon cœur, pendant un quart de seconde, s'est arrêté de battre. Je ne souhaitais quand même pas qu'il disparaisse…

« J'aime mieux être maigre comme un clou que gros comme un cochon ! »

Rire gras que personne ne suit. Malaise.

Ça commençait mal. Notre cousine Aline n'allait quand même pas nous laisser lui gâcher son souper si tôt :

« Voyons donc, les gars, vous vous êtes pas vus depuis quatre ans, vous avez rien d'autre à vous dire ? »

LUI. Non.

MOI. Pas vraiment, non.

Pourtant, j'avais demandé à le rencontrer, il devait bien y avoir une raison. Mais Aline eut la politesse de ne pas le relever.

Richard, lui, ne s'est pas embarrassé de tant de scrupules :

« Tu dois ben avoir quequ'chose à me dire, c'est toi qui as demandé à me voir ! »

Petit regard de connivence en direction d'Aline.

Moi aussi je l'ai regardée. Je
demandé de ne pas dire à Ric
c'est moi qui voulais le rencont.... ...
commodante, la cousine, mais pour la
discrétion…

Courte hésitation de mon frère, gorgée de « lait », puis :

« À moins que t'ayes quequ'chose à me
demander… De l'argent, par exemple…
Ben laisse-moi te dire que le peu d'argent que j'ai, je le garde pour moi ! T'as
voulu vivre une vie de barreau de chaise,
t'as voulu faire un artiste, vivre de ton
« art », ben assume-le, pis crève de faim
si tu gagnes pas ta vie comme du monde ! »

Autre gorgée, plus importante celle-là,
la bonne vieille frustration du personnage terre-à-terre qui a réussi par la
force du poignet devant l'artiste qui, à
ses yeux, n'a jamais travaillé de sa vie et
ne mérite pas qu'on l'encourage.

Je retrouvais là tout ce qu'il me disait
quand j'étais adolescent et que j'avais la
naïveté d'exprimer mon rêve de devenir
un jour écrivain : Tu vas faire rire de toi.
Tu vas crever de faim. Tu gagneras jamais ta vie de ta maudite vie. En tout cas,
tu feras ben ce que tu voudras, mais
viens jamais me demander de l'aide…
De toute façon, t'as pas de talent.

Je te jure que je n'exagère pas, que je
n'ai pas décidé de lui faire jouer le rôle

du méchant parce que j'en avais besoin pour nourrir ma schizophrénie, *il est vraiment comme ça !* Un rabat-joie. Un éteignoir. Un trouble-fête. Et si j'avais mon dictionnaire des synonymes, j'en trouverais d'autres ! Ce n'est même pas par méchanceté calculée, c'est inné, c'est profondément ancré en lui, l'essence même de son je, de son moi, de son *self,* pour utiliser des mots qui te sont familiers.

Mais il pouvait dire tout ce qu'il voulait, jusque-là je n'avais rien vu chez lui qui ressemblait à mon reflet de l'autre jour, peut-être à cause de son importante perte de poids, soit, mais je m'en trouvais quand même grandement soulagé.

Du moins jusqu'à ce qu'Aline dise : « On devrait passer à table tout de suite... », de peur qu'on s'arrache les yeux avant de goûter à son gigot, et que Richard se mette à *bouger.*

Le choc !

Je n'étais pas là depuis cinq minutes, je pensais déjà à m'en aller fêter ça ailleurs, allégé et heureux, quitte à abandonner Aline aux radotages et récriminations de mon frère, et voilà que mon reflet se levait de son fauteuil, verre de lait à la main, pour se diriger vers la table de la salle à manger !

Je suis resté figé sur place, hypnotisé, les jambes molles, le cœur dans les talons.

Tout, le port de tête, le geste de la main gauche, le dos trop droit à force de s'être fait répéter : « Redresse-toi, t'as l'air d'un bossu ! », l'espèce de dandinement de ceux qui marchent sur les talons, les genoux à peine pliés, les pieds bien ouverts en un large V, comme si les jambes voulaient prendre des directions différentes, absolument tout venait directement du pool génétique de la famille de notre père et me renvoyait une fois de plus cette image de moi que je ne voulais pas voir. C'était, en plus mince, en plus vieux, en plus poqué, l'homme que j'avais aperçu dans la vitrine du marchand de chaussures !

Bien sûr que j'ai eu le goût de prendre mes jambes à mon cou, qu'est-ce que tu crois ?

Mais j'étais incapable de bouger. Je suis resté immobile dans la porte qui sépare la salle à manger du salon, assez longtemps en tout cas pour que Richard et Aline s'en rendent compte et me regardent d'une drôle de façon.

« As-tu peur de ma salle à manger, cou-donc ? »

Pitoyable tentative de plaisanterie pour alléger l'atmosphère, qui est allée s'écraser quelque part entre la soupière fumante et le moulin à poivre en plastique transparent.

Crois-le ou non, mon frère avait déjà la serviette autour du cou.

« Si t'as encore fait ton gigot, Aline, j'espère que c'te fois-là y va être cuit ! La dernière fois, je m'en souviens très bien, y bêlait encore quand on l'a mangé ! »

En plus il se trouvait drôle, parce qu'il a renversé la tête par en arrière dans une espèce de rire peu humain qui rappelait le jappement de la hyène. Aline fit comme si elle croyait qu'il plaisantait, lui donna une tape derrière l'oreille et commença à servir la soupe.

Je déteste tout ce qui est citrouille. Je trouve que c'est un… un quoi ? un fruit ? un légume ? En tout cas, je n'aime ni son côté filandreux ni son goût douceâtre difficile à situer. Salé ? Sucré ? Je déteste les choses indécises, brumeuses, flottantes. J'ai failli écrire que j'aime d'abord la franchise, mais ça ne s'applique sûrement pas à la citrouille et, de plus, je te voyais sursauter dans ton fauteuil, non pas que je croie que tu me considères comme un menteur, mais je sais qu'il t'arrive souvent de me trouver, moi, indécis, brumeux, flottant… Enfin, bref, Aline avait mijoté une crème de citrouille épaisse, grumeleuse, d'un jaune orangé absolument dégoûtant, et en dépliant ma serviette sur mes genoux, je me demandais comment j'allais faire pour en avaler la première cuillerée.

J'avais réussi à traverser la pièce, oui, j'avais tiré ma chaise, je m'étais assis, surveillant toujours mon frère qui achevait son potage de potiron à toute vitesse dans un bruit de succion digne des Japonais avec leurs nouilles. Je n'avais pas mangé en sa compagnie depuis des lustres et j'avais oublié ce côté goinfre qui me soulevait déjà le cœur, enfant. Pas de manières, aucune politesse, ne parlons pas de l'élégance ni du raffinement... Il a tout avalé, le gigot comme le potage, sans presque mâcher, le nez dans son assiette ou bien à la recherche d'un bout de pain à tremper ou de la salière à agiter au-dessus de sa nourriture déjà trop rare pour avoir besoin de condiments. Je l'ai regardé faire tout au long du repas sans presque ouvrir la bouche, sauf pour manger, évidemment. Je dois avouer que pour une fois, le gigot d'Aline était décent. Pas bon. Décent.

Aline me faisait des signes genre : C'est le temps, là, vas-y, il ne parle pas, dis-lui ce que t'avais à lui dire ou demande-lui ce que t'avais à lui demander... mais j'étais trop fasciné par ce que je voyais pour entamer une conversation et Richard ne semblait pas choqué outre mesure par le silence ambiant, alors je laissais aller.

Je *me* laissais aller à des souvenirs de repas calamiteux au cours desquels la seule forme de contact était le sarcasme, toujours dirigé contre Richard dans mon cas, toujours dirigé contre moi dans le sien. Qu'est-ce qui faisait que *nous ne nous entendions jamais*? Sur rien? Comment expliquer cette escalade de mots désagréables à chaque repas du soir (le seul où nous nous retrouvions tous les deux), sans trêve, sans répit, sans cessez-le-feu, au désespoir de ma mère qui n'arrivait pas à nous contrôler? Je ne devinais quand même pas déjà à l'époque que je lui ressemblais !

Pour en revenir à la ressemblance, justement, je me disais : j'espère quand même que je n'ai pas l'air de ça quand je mange, que je ne tiens pas mon couteau de cette façon-là, que je ne sape pas, comme ça, les lèvres avancées, humides, le front froncé, les yeux dans le vague ; j'espère que les similitudes, si frappantes hélas, je ne peux plus le nier, s'arrêtent aux traits physiques et aux tics de comportement !

Aline avait entamé au début du repas un monologue d'une platitude confondante sur sa vie de bénévole au CLSC de son quartier, elle se noyait littéralement dans sa tentative d'insuffler un peu de vie à cette veillée funéraire (celle de mes derniers espoirs de ne pas ressembler à mon frère) et finit, vers le dessert (tu l'as deviné, une tarte à la citrouille !), par se taire, un regard interrogateur teinté de reproche posé sur moi.

À la toute fin du repas, alors qu'Aline était partie chercher le café, mon frère Richard m'a regardé droit dans les yeux pour la première fois depuis mon arrivée :

« Pis, toujours, qu'est-ce que tu voulais ? Tu m'as quand même pas demandé de venir ici juste pour le plaisir de partager un gigot d'agneau avec moi ! »

Aline est arrivée sur ces entrefaites et m'a sans le savoir porté le coup de grâce. Elle tenait un plateau où trônait la cafetière la plus laide que j'avais jamais vue de toute ma vie et a déclaré, comme ça, innocemment :

« Mon Dieu, que vous vous ressemblez tous les deux ! J'vous dis que vous la portez, la signature de votre père ! Tout le monde le dit depuis toujours, mais c'est encore plus vrai en vieillissant ! Comme ça, de dos, en rentrant dans la salle à manger, c'est hallucinant ! J'aurais pu en échapper ma cafetière, c'est pas mêlant ! »

Puis elle m'a regardé.

« Surtout depuis que t'as commencé à grisonner, toi, c'est pas croyable ! »

Tu sais quoi ? Tout à coup, j'ai senti que Richard était dans la même situation pénible que moi, parce qu'il a sursauté et, comme moi, j'en suis convaincu, je l'ai lu dans ses yeux, je l'ai vu dans ce geste du coude gauche que je venais d'avoir moi-même, qu'il avait la même envie que moi de la tuer ! Et ça m'est tombé dessus comme une tonne de briques : mon frère ne veut peut-être pas plus me ressembler que moi j'accepte de lui ressembler, à lui !

Quel choc !

Je n'avais jamais pensé à ça, qu'un autre membre de ma famille pouvait avoir un problème avec ces gènes que nous partageons ; il y avait toujours eu moi d'un côté et le reste de la famille de l'autre, deux blocs parfaitement définis dans ma tête, permanents et inaltérables, comme si j'étais le seul à être conscient du problème et que les autres, monolithe compact dont j'étais issu, étaient incapables de raisonner et de réagir de la même façon que moi. C'était normal qu'eux se ressemblent, mais *moi,* il fallait que je sois différent !

Et je me suis dit, en regardant mon frère Richard : si je ne veux pas lui ressembler, peut-être bien que lui, plus vieux, *ne veut pas que je lui ressemble*! Et c'est peut-être pire !

13 mars (fin d'après-midi)

J'ai dormi douze heures d'affilée sans me réveiller une seule fois. Pour un pisse-minute, c'est un record !

J'ai terminé mon récit du repas chez ma cousine Aline vers cinq heures du matin, je croyais ne pas pouvoir dormir tellement j'étais épuisé, je suis pourtant tombé dans le sommeil comme une pierre. Je viens juste de me réveiller ; cinq heures et demie de l'après-midi. Si la fille d'étage est venue, je ne l'ai pas entendue, ni les bruits de la rue, ni les sirènes de police, parfaitement incons-cient de la vie new-yorkaise, pour une fois. Je ne me souviens pas non plus d'avoir rêvé. Un trou noir dont j'avais bien besoin.

J'attends le petit déjeuner qu'on a ac-cepté de me concocter à cette heure in-due. (Mais on m'a clairement fait sentir qu'il ne fallait pas que je recommence !)

J'ai tellement faim que je dévorerais la rame de papier !

Que je finisse en deux coups de cuiller à pot de te décrire cette mémorable soirée. Bouleversé par ce que je venais de découvrir, je n'ai même pas eu le courage d'utiliser l'excuse que je m'étais inventée si jamais mon frère, il venait pourtant de le faire, me demandait le pourquoi de ce repas chez Aline. (Depuis sa retraite, il est agent d'immeubles quelque part dans les Cantons de l'Est, et j'aurais vaguement prétendu vouloir acheter une maison de campagne... Dur à avaler de la part d'un indécrottable citadin comme moi...)

Non, j'ai plutôt laissé la soirée mourir à petit feu. Je devrais dire que *nous* l'avons laissé mourir, parce qu'aucun d'entre nous à partir de ce moment-là, comme si nous nous étions soudain entendus pour ne rien dire d'important, n'a essayé de ramener la conversation sur des sujets un tant soit peu conséquents. Nous nous sommes réfugiés une fois de plus dans les banalités au lieu d'attaquer un problème de front, c'est une des grandes spécialités de ma famille. (Aline et Richard se sont rendu compte de quelque chose, je l'ai senti à leur façon de me regarder. Ils sont tous les deux intelligents et savaient très bien que je n'avais pas plus envie de passer une soirée avec eux qu'eux avec moi. Leur prudence a été plus forte que leur curiosité, c'est tout.)

Aline nous a ennuyés à un point indescriptible avec le récit complet des us et coutumes de sa nombreuse litée, Richard nous a une fois de plus chanté les vertus de la vie à la campagne, et moi je me suis tu, me contentant de branler du chef et de répondre par onomatopées quand on s'adressait à moi.

Je me disais c'est le temps, là, vas-y, parles-en, crève l'abcès, il en a peut-être autant besoin que toi ! A-t-il vécu lui aussi sa vitrine de vendeurs de chaussures ? Se hérisse-t-il chaque fois qu'on lui dit qu'il ressemble à l'auteur, là, vous savez, celui qui a écrit, euh, comment ça s'appelle, donc… Vit-il l'horreur d'avoir un frère de onze ans son cadet qui est sa réplique exacte ?

Il condamne ma façon de vivre, je le sais, il me l'a déjà dit, il tient les homosexuels en aversion (eh oui ! son intolérance va jusque-là), alors comment réagit-il à ce jeu de miroirs dont nous sommes tous deux victimes depuis toujours ?

Je n'allais tout de même pas me laisser aller à ressentir de la sympathie pour lui ! Alors je me suis refermé complètement, je les ai regardés parler sans les écouter, je suis parti tôt, prétextant une migraine (que je sentais venir, de toute façon) et je suis allé me réfugier dans mon lit, comme je le fais toujours quand se présente une difficulté. J'avais eu la confirmation définitive que je ressemblais à mon frère puisque lui-même semblait avoir le même problème, et je n'y pouvais rien.

Et c'est alors que le monde tel que je le connaissais s'est écroulé.

Un souvenir d'enfance m'est revenu en mémoire pendant la nuit d'insomnie qui a suivi, un événement important que j'avais enfoui quelque part sans jamais vouloir le revoir et qui, pourtant, avait changé à jamais la vie de ma famille en général et celle de mon frère en particulier. Un déni que je vivais depuis près de cinquante ans !

Mets ton chapeau de psychanalyste, on part !

Je devais avoir huit ou neuf ans, je sais que c'était un dimanche parce que je regardais les bandes dessinées de *La Patrie* ou de *La Presse*. Sans savoir ce qui se préparait, je m'étais installé à la table de la cuisine pour lire les journaux alors qu'habituellement je m'étendais sur le tapis du salon, à l'autre bout de l'appartement, en les éparpillant autour de moi. Je pouvais donc entendre tout ce qui se disait dans la salle à manger jouxtant la cuisine.

Ma mère, mon père et mon frère Richard traînaient devant un dernier café, ce qui leur arrivait assez souvent le dimanche, mais ce qui attira mon attention, ce matin-là, c'est qu'ils parlaient moins fort que d'habitude. Combien de fois pendant nos trente et quelque années d'amitié, m'as-tu demandé de baisser le ton parce que tu trouvais que je parlais trop fort, et combien de fois t'ai-je répondu que c'était de famille, que j'avais été élevé comme ça, que j'avais grandi dans une maison où on criait, que si je ne parlais pas fort, j'aurais l'impression qu'on ne m'écoute pas ?

Ces murmures inhabituels provenant de la salle à manger piquèrent donc ma curiosité et je tendis l'oreille, non pas pour écouter ce qui se disait, pensais-je, mais juste pour savoir, curieux comme je l'étais, *de quoi on parlait.*

Il était question des études classiques de mon frère qui achevaient (tu vois, j'étais encore plus jeune que je l'ai écrit plus haut ; si Richard avait dix-sept, dix-huit ans, j'en avais, moi, au plus six ou sept) après des années de dur labeur et, pour mes parents, de sérieux sacrifices pour garder un fils au collège avec le peu d'argent que gagnait mon père.

Ma curiosité contentée, j'ai failli retourner aux aventures de Tarzan ou de Philomène, lorsqu'une chose que disait mon père m'a retenu près de la porte de la cuisine où je m'étais glissé.

Papa semblait sincèrement désolé et je l'imaginais jouant avec des miettes de pain ou l'anse de sa tasse comme il le faisait toujours quand il avait quelque chose d'important à nous dire à table et que maman l'avait convaincu que c'est lui qui devait nous parler parce que après tout il était le père.

« Ça nous fait ben de la peine, Richard, moé pis ta mère on a tout essayé pour trouver une solution, mais y en a pas. »

La voix de mon frère, brisée :

« Ça veut dire que c'est définitif ?

— Oui. C'est définitif. Malheureusement, c'est définitif. »

Un silence a suivi. Une chaise a glissé sur le parquet de bois de la salle à manger. Ma mère a parlé pour la première fois depuis un bout de temps :

« J'espère que tu comprends… C'est vrai qu'on a tout essayé, tu sais… Pis depuis que le p'tit a commencé l'école, ça coûte plus cher…

— Pis vous me demandez de me sacrifier pour lui ? J'ai réussi à me rendre au bout de mon cours classique grâce à la charité d'un cousin de papa qui enseigne au collège, tout ce temps-là, vous m'avez laissé rêver de devenir un avocat, je réussis à me faire accepter à l'université, pis vous me dites à matin que vous avez pas les moyens, que l'université coûte trop cher pis qu'y faudrait que j'aille travailler parce que mon petit frère lui aussi coûte trop cher !

— C'est pas ça qu'on dit, Richard ! On te dit pas qu'y faut que t'ailles travailler tu-suite ! On dit juste que l'université c'est trop cher pis trop long ! Choisis quequ'chose qui prend moins de temps pis qui coûte moins cher ! T'es le plus vieux, sois raisonnable !

— Mais c'est du reste de ma vie que vous parlez, là, réalisez-vous que c'est du reste de ma vie que vous parlez ? »

Une chaise renversée, quelqu'un quitte la salle à manger en courant, ma mère pleure, se mouche.

« Pleure pas, Nana, y va finir par comprendre !

— C'est pas juste à cause de lui que je pleure, c'est à cause de moi, aussi ! Y a raison, tu sais ! On y demande de changer les plans de toute sa vie parce qu'on manque d'argent ! Que c'est qu'y va devenir, hein, que c'est qu'y va devenir, pour l'amour du bon Dieu ? J'vas-tu vivre le reste de ma vie avec ça sur la conscience ? »

Je te fais grâce du reste, tu n'en as pas besoin et moi non plus. Qu'il te suffise de savoir que si Richard est devenu ce qu'il est, c'est un peu à cause de moi.

Est-ce pour ça que, inconsciemment, j'ai toujours lutté contre cette ressemblance qui me lie à lui plus que je ne le voudrais ? Ai-je commencé à le détester à ce moment-là pour ne pas me détester moi-même ? Et quand j'ai vu en vieillissant que je lui ressemblais plus que physiquement, ai-je refoulé tout ça pour ne pas avoir à y faire face ? Et l'homme que j'ai aperçu dans la vitrine, était-ce ce frère raté que je reconnaissais en moi ?

Ne me dis pas que Richard aurait dû lutter, se débattre, travailler à temps perdu, qu'il a manqué de courage et de débrouillardise, j'ai essayé et ça ne marche pas. Le problème n'est pas là. Le problème est dans ma tête. Ai-je exagéré ses défauts pendant cinquante ans, me suis-je arrangé pour le voir différemment de ce qu'il est, ai-je repoussé tout ce qui me liait à lui parce que je me sentais coupable de sa vie ratée à cause de quelques phrases surprises un dimanche matin de ma lointaine enfance ? Et lui ? *Lui* ? A-t-il enduré cette ressemblance sans séquelles ? N'a-t-il pas plutôt été dégoûté, chaque fois qu'il m'apercevait à la télévision, de ces traits que nous

partageons, de nos tics langagiers simi-
laires, de mes cheveux qui grisonnent
de la même façon que les siens, de mon
succès alors qu'il est resté toute sa vie
dans l'ombre ?

C'est là que j'ai besoin de ton aide,
c'est pour cette raison que j'ai décidé de
quitter Montréal le temps d'un week-
end, le temps d'une lettre d'appel au secours. Parce que c'en est un. Aide-moi.
Je ne sais plus que penser. J'ai examiné
le problème sous tous ses angles et j'en
reviens toujours à la même réponse : à
cause de moi, mon frère a raté sa vie ; et
parce qu'il a raté sa vie, j'ai pu réussir la
mienne ! Durant trente ans il a pratiqué
un métier qu'il détestait pendant que moi,
tardivement, c'est vrai, mais tout de même,
j'arrivais à me bâtir une réputation.

Je sais qu'il est trop tard pour réparer
quoi que ce soit, mais cette culpabilité,
qu'elle soit légitime ou non, m'étouffe et
me tue. Je sais que les psychanalystes ne
sont pas là pour expliquer les choses à
leurs patients, tu me l'as répété assez
souvent, mais je n'ai pas le temps ni le
goût d'aller m'étendre sur un divan pendant des années pour essayer de trouver
une solution ; tu me connais, j'en veux
une tout de suite ! Je ne veux plus de ce
poids sur mon cœur, de ce nœud dans
ma gorge !

Et Dieu sait que je ne veux plus ressembler à mon frère, même si je sais désormais que c'est impossible !

Je pourrais me réfugier dans la fiction, je l'ai souvent fait, déconstruire le récit que je viens de te narrer, le reconstruire en changeant les noms, me servir, comme d'habitude, de mes hantises, problèmes et autres obsessions pour bâtir une belle histoire à travers laquelle j'exprimerais tout ce que contient cette lettre, mais je sens que c'est trop tôt, que tout ça est encore trop frais, que j'ai trop le nez dedans ! Je n'arrive pas à voir le tableau au complet, je m'arrête à des détails qui prennent à mes yeux trop d'importance et qui brouillent tout, au point même où je n'y comprends plus rien. Je manque de recul et je m'adresse à toi qui as la réputation d'en avoir fait une carrière !

Docteur, quand on a débusqué un déni cultivé pendant un demi-siècle, est-il possible de le retrouver, de s'y réfugier de nouveau pour le reste de ses jours ? Peut-on se restaurer une virginité, désapprendre, retrouver l'ignorance originelle ?

Et tu sais quoi ? Le plus terrible dans tout ça est que, ma confession complétée, je ne ressens aucun soulagement ! J'aimerais pouvoir te dire que, ma missive terminée, je me suis couché sur le couvre-pied de chenille vert pisseux et que je me suis laissé aller aux larmes chaudes et réconfortantes de celui qui vient de vider son sac et qui se sent si fatigué et si « neuf », mais la vérité est que je n'ai pas du tout l'impression d'être « neuf » malgré ma grande fatigue. Ce soulagement que j'espérais tant ne se fait pas du tout sentir – pourtant je suis venu ici, à New York, dans le but exprès de t'écrire cette lettre en espérant qu'elle réglerait mon problème ! – et l'image que me renvoie actuellement le miroir de ma chambre est d'un déprimant que je ne saurais décrire : un homme vieilli, bouffi par le manque de sommeil et qui se regarde, hagard, parce qu'il ne ressent rien alors qu'il devrait, sans nécessairement sauter au plafond, lire dans ses propres yeux quelque chose qui ressemble au moins à la satisfaction du devoir accompli.

Je sais que lorsque je retournerai me coucher, tout à l'heure, le sommeil ne viendra pas et que je me retrouverai très probablement à compter les marques d'humidité du plafond ou les fleurs en velours coupé du joli papier peint *early-ringard* qui orne les murs. Et j'en ai assez d'avoir recours à des pilules roses ou bleues ou jaunes pour sombrer dans quelque chose qui ressemble plus à un léger coma qu'à un sommeil profond...

J'ai tant rêvé à ce moment, pourtant ! J'étais tellement convaincu que si j'arrivais à coucher sur le papier ce problème qui me gâche la vie depuis des semaines, j'en sortirais plus léger et presque joyeux ; léger parce que je me serais enfin déchargé de mon fardeau, et joyeux de m'être rendu compte qu'il suffirait de m'attarder à cette hantise quelques heures pour qu'elle disparaisse à tout jamais. Je l'ai cerné, ce problème, oui, c'est vrai, j'ai réussi, je crois, à bien te le décrire, mais rien n'a vraiment changé en moi. Ce n'est pas parce que je sais de façon officielle que les gènes de ma famille, ce maudit pool génétique dont on nous rebat tant les oreilles, m'habitent au point de transparaître non seulement dans mon physique mais aussi dans mes agissements, que ça signifie que je suis prêt à les accepter et, surtout, à vivre ma ressemblance avec mon frère ! Parce que tout, en fin de compte, revient à ça : retrouverai-je toujours Richard dans quelque coin de vitrine ou sur des photos peu flatteuses que je voudrai aussitôt détruire, de rage et de frustration ?

La réponse, hélas, est oui, et ça me tue !

Je suis juste un peu plus conscient que lorsque je suis arrivé ici vendredi soir, c'est tout. Et mon retour à Montréal sera loin d'être triomphant !

Plus tard (en fait à la barre du jour)

En plus, il pleut sur New York déjà bruissante des bruits des taxis et des collecteurs de déchets.

Je vais poster la lettre dans le hall de l'hôtel juste avant de quitter, tu la recevras dans quelques jours ; quand tu auras terminé de la lire, quand tu auras fini de rire, appelle-moi, je t'en supplie, je serai probablement couché en fœtus à côté du téléphone à partir de dimanche prochain...

Je viens de trouver une coquerelle morte dans le fond de ma valise ; j'espère que sa famille ne s'est pas infiltrée un peu partout dans mes affaires...

Voilà, la lettre est terminée. Je viens de refermer ma valise (les DVD prennent vraiment moins de place que les disques laser !). Mon vol est à neuf heures trente, dans quelques heures à peine. Je viens de me faire un dernier cadeau, *Vertigo* d'Hitchcock, qui vient de sortir en DVD, justement (le Virgin Records de Broadway est ouvert toute la nuit). Ironie du sort ! J'aimerais ressembler au personnage de Kim Novak et me réveiller amnésique, demain matin !

En fait, j'aimerais surtout trouver un James Stewart pour partager ma vie, mais ça, *as they say, is another story...*

Je t'embrasse,
Ton ô combien fucké Jean-Marc

P.-S. Je sais enfin combien de pages contient cette lettre. C'est une longue missive pour cette époque où l'on ne s'écrit plus, mais je suis loin d'avoir utilisé la rame de papier que m'a fournie l'hôtel.

Je viens de parler à Mélène, à Montréal. Elle m'a dit que j'aurais pu me réfugier chez elle et t'envoyer un e-mail, ç'aurait coûté moins cher et probablement pris moins de temps. Mon Dieu ! Même la souffrance est virtuelle de nos jours !

Key West, 11-20 mars 1998
4-14 janvier 1999

DU MÊME AUTEUR

ROMANS, RÉCITS ET CONTES

Contes pour buveurs attardés, Éditions du jour, 1966 ; BQ, 1996

La Cité dans l'œuf, Éditions du jour, 1969 ; BQ, 1997

C't'à ton tour, Laura Cadieux, Éditions du jour, 1973 ; BQ, 1997

Le Cœur découvert, Leméac, 1986 ; Babel, 1995

Les Vues animées, Leméac, 1990 ; Babel, 1999

Douze coups de théâtre, Leméac, 1992 ; Babel, 1997

Le Cœur éclaté, Leméac, 1993 ; Babel, 1995

Un ange cornu avec des ailes de tôle, Leméac/ Actes Sud, 1994 ; Babel, 1996

La Nuit des princes charmants, Leméac/Actes Sud, 1995, Babel, 2000

Quarante-quatre minutes, quarante-quatre secondes, Leméac/Actes Sud, 1997

CHRONIQUES DU PLATEAU-MONT-ROYAL

La Grosse Femme d'à côté est enceinte, Leméac, 1978 ; Babel, 1995

Thérèse et Pierrette à l'école des Saints-Anges, Leméac, 1980 ; Grasset, 1983 ; Babel, 1995

La Duchesse et le roturier, Leméac, 1982 ; Grasset, 1984 ; BQ, 1992

Des Nouvelles d'Édouard, Leméac, 1984 ; Babel, 1997

Le Premier Quartier de la lune, Leméac, 1989 ; Babel, 1999

Un objet de beauté, Leméac/Actes Sud, 1997

THÉÂTRE

En pièces détachées, Leméac, 1970

Trois petits tours, Leméac, 1971

À toi, pour toujours, ta Marie-Lou, Leméac, 1971

Les Belles-sœurs, Leméac, 1972

Demain matin, Montréal m'attend, Leméac, 1972

Hosanna suivi de *La Duchesse de Langeais*, Leméac, 1973

Bonjour, là, bonjour, Leméac, 1974

Les Héros de mon enfance, Leméac, 1976

Sainte Carmen de la Main suivi de *Surprise ! Surprise !*, Leméac, 1976

Damnée Manon, sacrée Sandra, Leméac, 1977

L'Impromptu d'Outremont, Leméac, 1980

Les Anciennes Odeurs, Leméac, 1981

Albertine en cinq temps, Leméac, 1984

Le Vrai Monde ?, Leméac, 1987

Nelligan, Leméac, 1990

La Maison suspendue, 1990

Le Train, Leméac, 1990

Théâtre I, Leméac/Actes Sud-Papiers, 1991

Marcel poursuivi par les chiens, Leméac, 1992

En circuit fermé, Leméac, 1994

Messe solennelle pour une pleine lune d'été, Leméac, 1996

Encore une fois, si vous permettez, Leméac, 1998

TRADUCTIONS ET ADAPTATIONS (THÉÂTRE)

Lysistrata (d'après Aristophane), Leméac, 1969, réédition 1994

L'Effet des rayons gamma sur les vieux garçons (de Paul Zindel), Leméac, 1970

Et Mademoiselle Roberge boit un peu (de Paul Zindel), Leméac, 1971

Mademoiselle Marguerite (de Roberto Athayde), Leméac, 1975

Oncle Vania (d'Anton Tchekhov), Leméac, 1983

Le Gars de Québec (d'après Gogol), Leméac, 1985

Six heures au plus tard (de Marc Perrier), Leméac, 1986

Premières de classe (de Casey Kurtti), Leméac, 1993

SCÉNARIO

Il était une fois dans l'Est (en collaboration avec André Brassard), VLB, 1974 (épuisé)

OUVRAGE RÉALISÉ
PAR L'ATELIER SÉRIF**SANSÉRIF**
ACHEVÉ D'IMPRIMER
EN NOVEMBRE 1999
SUR LES PRESSES
DE L'IMPRIMERIE AGMV-MARQUIS
(CAP-SAINT-IGNACE (QUÉBEC)
POUR LE COMPTE DE
LEMÉAC ÉDITEUR
MONTRÉAL

N° D'ÉDITEUR : 3547
DÉPÔT LÉGAL
1RE ÉDITION : NOVEMBRE 1999
(ÉD. 01 / IMP. 01)